Hypatia

Isambard

Bochenek

Bazia

Amy
i przyjaciele

Papuga na plan

Diana Kimpton

Zilustrowała
Desideria Gucciardini

AKAPIT
PRESS

Dla Heleny

Tytuł oryginału:
AMY WILD, ANIMAL TALKER:
The Star-Struck Parrot

Tłumaczenie: **Iwona Żółtowska**

Ilustracje: Desideria Gucciardini

Wydanie I, Łódź 2012

ISBN 978-83-62955-25-1

Wydrukowano na papierze
Ecco-Book 70 g/m² V-2,0
dostarczonym przez
MAP Polska Sp. z o.o.

AKAPIT PRESS Sp. z o.o.
93-410 Łódź, ul. Łukowa 18 B
tel./fax: 42 680-93-70
Księgarnia internetowa: **www.akapit-press.com.pl**
Dział zamówień: **zamawiam@akapit-press.com.pl**

Druk i oprawa: EDICA SA

ROZDZIAŁ PIERWSZY

– Ale fajnie! – powiedziała Amy Wild. Szła wzdłuż placu sąsiadującego z domem kultury. Zazwyczaj mogła stąd zobaczyć morze, ale dziś przesłaniały je niezliczone namioty rozbite jeden przy drugim. – Kto by pomyślał, że do nakręcenia filmu potrzeba tylu ludzi.

– Ma się rozumieć – zaskrzeczała papuga Hypatia, która przycupnęła na jej ramieniu. – Widziałam w telewizji wiele programów dokumentalnych na ten temat.

3

Cairn terier Hilton, obwąchawszy śledzia, czyli kołek mocujący w ziemi linkę namiotu, podniósł łebek. – Wciąż nie pojmuję, co ich tu przygnało. O wiele łatwiej byłoby nakręcić film w studio. Po co taszczyli ze sobą wszystkie te klamoty aż na wyspę Clamerkin?

Amy wcale nie była zdziwiona tym, że Hypatia i Hilton potrafią mówić. Nosiła złoty naszyjnik z ogniwek w kształcie zwierzęcych łap, który miał tajemną moc – sprawiał, że rozumiała mowę zwierząt i mogła się z nimi porozumiewać.

– Moim zdaniem morze ich tu przyciągnęło – odparła, uśmiechając się do teriera. – Autentyczne plenery były niezbędne, skoro na plakatach rozlepionych w miasteczku widnieje tytuł „Morska gorączka".

– Ekipie chodziło nie tylko o morskie pejzaże – wtrąciła Hypatia, dumnie strosząc piórka na gorsie. – Wiadomo, film historyczny.

Reżyser mówił w telewizji, że Clamerkin to idealne miejsce do kręcenia scen dziejących się w porcie. Nasza wyspa ma staromodny urok: malownicza zabudowa, brukowane ulice. Poza tym panuje tutaj cudowny spokój.

— Nie dziś — zauważyła Amy, podchodząc na skraj placu. Zobaczyła stamtąd port, w którym panował duży ruch. Obsługa ustawiała sprzęt oświetleniowy i kamery. Tragarze układali piramidy beczek, skrzyń i worków, żeby port zyskał historyczny koloryt.

— Pierwszy raz widzę taką łódź — szczeknął Hilton, ruchem głowy wskazując trójmasztowy żaglowiec przycumowany do nabrzeża.

– To nie łódź – zaskrzeczała podekscyto-
wana Hypatia, przestępując z nogi na nogę
– tylko żaglowiec… najpewniej piracki.
W takim filmie muszą występować piraci,
co oznacza, że na sto procent będzie im
niezbędna papuga.

Amy podniosła rękę i pogłaskała Hypatię
po łebku.

– Weź na wstrzymanie, ptaszynko.
W ogłoszeniu o naborze statystów nie było
mowy o zwierzętach.

– Moim zdaniem przywieźli własną papugę
– wtrącił Hilton, rozglądając się po planie
filmowym. Gdziekolwiek spojrzał, leżały

8

elementy wyposażenia. – Wygląda na to, że ściągnęli wszystko, co niezbędne.

– Mniejsza z tym – oznajmiła Hypatia. – Udowodnię im, że jestem idealną kandydatką do roli pirackiej maskotki. – Sfrunęła na płotek stojący w pobliżu i kuśtykając, zawołała: – Do stu tysięcy par beczek! Hej ho, dajcie mi butelkę rumu!

Amy spojrzała na nią zatroskana.

– Skaleczyłaś się w łapkę? – zapytała.

– Ależ skąd – odparła z westchnieniem Hypatia. – Udawałam kuternogę z drewnianą protezą.

9

— Wydaje mi się, że takie akcesoria mają piraci, nie ich papugi — wtrącił Hilton.

— Nie zapominaj również, że tylko ja jedna cię rozumiem — dodała Amy. — Dlaczego nie gadasz jak inne papugi? Większość z nich łatwo uczy się takich sztuczek.

— Wykluczone — odparła Hypatia. — Moim zdaniem taka paplanina nie ma sensu.

W tej samej chwili asystent idący wzdłuż nabrzeża oznajmił przez megafon:

— Kandydaci na statystów niech podejdą bliżej.

— Trzeba się pospieszyć — mruknęła Amy, podbiegła do asystenta i ruszyła za nim

ku trzem stołom ustawionym po drugiej stronie placu. Tłum chętnych ruszył w tamtą stronę. Wszyscy mieszkańcy Clamerkin widzieli ogłoszenie i pragnęli zagrać w filmie.

Z pomocą asystenta uformowali kolejkę przed każdym ze stolików. W jednej stali panowie, w drugiej panie, w trzeciej dzieciaki.

Gdy Amy zajęła miejsce w swoim ogonku, Hypatia przycupnęła na stojącej w pobliżu drabinie. Weronika, najlepsza przyjaciółka Amy, wślizgnęła się do kolejki tuż za nią.

– Fajnie, co? – powiedziała z uśmiechem Amy. – Świetny sposób na spędzenie ferii.

– W szkole nie byłoby takiej zabawy – przyznała Weronika. – Ciekawe, co nas teraz czeka.

– Trochę sobie poczekamy – odparła Amy. – Podobno na planie filmowym ciągle się czeka. – Nie wspomniała, że wie o tym od Hypatii. Musiała uważać, żeby nie zdradzić swego sekretu. Weronika nie miała pojęcia, że Amy rozmawia ze zwierzętami. Nikt o tym nie wiedział poza Bunią, cioteczną babcią, która podarowała jej magiczny naszyjnik i uprzedziła, że jego niezwykłe właściwości muszą być zachowane w tajemnicy.

Ku zaskoczeniu Amy kolejka sprawnie przesuwała się do przodu, więc oczekiwanie trwało krócej, niż można by sądzić. Asystenci producenta szybko podejmowali decyzje i wkrótce Amy stanęła przed jedną z trójki osób angażujących statystów.

— Cześć, mam na imię Fran — oznajmiła pani odpowiedzialna za dzieciaki. — Masz zgodę rodziców?

Amy wyjęła z kieszeni kartkę i podała ją asystentce.

— Tak, podpisaną przez oboje rodziców.

Fran przebiegła wzrokiem formularz i dopisała Amy do swojej listy.

— Będą u nas statystować? Na planie ktoś powinien mieć cię na oku.

— Mama i tata prowadzą stołówkę dla całej ekipy — wyjaśniła Amy. — Zamknęli na tydzień naszą herbaciarnię, która nazywa się Pierwiosnek, żeby karmić filmowców.

— Doskonale — powiedziała Fran. — Przejdź się teraz do tamtej sterty paczek, zrób obrót i wróć do mnie. Nie graj. Bądź sobą. Zachowuj się naturalnie.

Amy przekonała się, że trudno być sobą, gdy ktoś człowieka obserwuje. Najpierw spanikowała, że idzie zbyt szybko, więc zwolniła. Potem uznała, że wlecze się w żółwim tempie, więc nagle przyspieszyła kroku. Odetchnęła z ulgą, gdy ponownie dotarła do stolika.

15

Znów musiała czekać.

Z nerwów zaschło jej w gardle, gdy Fran przez dłuższą chwilę robiła notatki na swojej liście. Amy nie wiedziała, czy udało jej się szczęśliwie przejść casting. Czy dostanie jakąś rólkę?

W końcu Fran przestała pisać i podniosła wzrok. Uśmiechnęła się do Amy, mówiąc:

– Wypadłaś znakomicie. Będziesz Piątą Dziewczynką.

– Dzięki – zawołała uradowana Amy i natychmiast się rozpromieniła. – Co mam robić na planie?

– Mniej więcej to samo, co przed chwilą – odparła Fran. – Będziesz spacerować po nabrzeżu, kręcąc się wśród marynarzy podczas załadunku żaglowca. Port musi tętnić życiem. Ma się tam roić od przechodniów. – Zamilkła na chwilę, żeby obok imienia i nazwiska Amy napisać: Piąta Dziewczynka. Uniosła głowę i dodała: – Bądź w garderobie jutro z samego rana. Wpół do siódmej. Punktualnie.

– Nie za… wcześnie? – wykrztusiła z trudem zaskoczona Amy.

– Tak się pracuje w filmowym biznesie – wyjaśniła Fran, spoglądając ponad ramieniem Amy. – Następny!

Weronika zrobiła krok w przód, lecz Amy ani myślała usunąć się na bok. Podała Fran jeszcze jedną kartkę.

– To zgoda na udział w filmie mojej papugi. Hypatia nie ma rodziców, więc sama podpisałam.

Fran wybuchnęła śmiechem.

– Sądzisz, że twoja papuga marzy o karierze?

– Jestem tego pewna – oznajmiła Amy.

– Wypadłaby świetnie jako ulubienica pirata.

Hypatia zrozumiała, że przed nią wielka szansa, i sfrunęła na stolik.

– Żagle na maszt! Cała naprzód, chłopaki! – zawołała, strosząc pióra. – Statek na horyzoncie.

Fran nie zrozumiała ani słowa. Słyszała tylko papuzi skrzek i donośne wrzaski. Ostrożnie popchnęła Hypatię ku Amy i powiedziała:

– Daruj, ale papuga nie jest nam potrzebna. Nie kręcimy filmu o piratach.

Zawiedziona Hypatia zwiesiła głowę. Marzyła, by pojawić się na ekranie jak gwiazdy, które uwielbiała oglądać w telewizji, lecz szczęście jej nie dopisało.

Amy pogłaskała barwne piórka i posadziła ją znowu na swoim ramieniu.

Była przygnębiona, bo sama otrzymała rólkę, a biedna Hypatia została odrzucona. To niesprawiedliwe. Z pewnością istnieje sposób, żeby pomóc papudze marzycielce. Ale jak tego dokonać?

ROZDZIAŁ DRUGI

Gdy Amy z Hypatią i Hiltonem weszła do namiotu przeznaczonego na stołówkę dla filmowców, mama i tata byli zajęci. Serwowali potrawy, ale Bunia miała wolną chwilę. Przyniosła Amy szklankę mleka i kanapkę. Hypatia dostała winogronko.

– Czemu jest taka smutna – zapytała.

– Odrzucili ją?

Amy kiwnęła głową.

– Sądzę, że do scen kręconych u nas nie potrzebują zwierząt.

– Jej zwierzątka jednak załapały się do filmu – odparła Bunia, wskazując dziewczynę siedzącą z dala od innych ludzi, przy stoliku w rogu wielkiego namiotu. – Wspomniała mi przed chwilą, że w ekipie pełni funkcję trenerki zwierzęcych aktorów. Pogadaj z nią.

Amy podeszła z talerzem i szklanką do narożnego stolika i zapytała:

– Mogę tu usiąść?

– Naturalnie – odparła z uśmiechem trenerka zwierzaków.

Wyciągnęła rękę do Amy. – Mam na imię Jane. Firma „Zwierzęta na plan".

– Jestem Amy. Z herbaciarni Pierwiosnek. A to Hypatia i Hilton.

Amy chciała usiąść na krześle obok Jane, lecz nagle spostrzegła, że jest zajęte. Stała na nim niewielka klatka – typowa transportówka używana do przewozu kotów, które muszą odwiedzić weterynarza. W środku zamiast kotka siedział york o starannie wyszczotkowanej sierści.

Maluszek warknął na Amy.

– Brzydki pies – skarciła go Jane.

– Pies! – szczeknął pogardliwie Hilton. – Żadne szanujące się psisko nie nosi na głowie różowej kokardki, prawda?

Hypatia wybuchnęła urągliwym śmiechem. – Karzełek! Wyglądasz przy nim na olbrzyma.

Jane spojrzała na nich i westchnęła.

– Twoje zwierzęta sprawiają wrażenie pogodniejszych od mego psiaka. Wsunęła palec między pręty klatki i usiłowała pogłaskać uszko pupila.

– Bardzo proszę, rozchmurz się, Pieszczoszku.

– Daj mi spokój – burknął york, obrócił się na aksamitnej poduszce i usiadł tyłem do swej opiekunki.

– Pewnie chciałby wyjść – podsunęła Amy, zajmując sąsiednie krzesło. – Smutno mu w klatce.

– Ale jest czyściutki – odparła Jane. – Byłoby fatalnie, gdyby psi gwiazdor filmowy miał brudne łapki.

Amy spojrzała z szacunkiem na ponurego yorka.

– Naprawdę jest gwiazdorem? – zapytała.

– To najważniejszy piesek w całym filmie – odparła Jane, a potem wybuchnęła śmiechem i dodała: – Pewnie dlatego, że jedyny.

Nagle zadzwoniła jej komórka.

– Reżyser chce ze mną mówić – oznajmiła, zrywając się z krzesła. Chwyciła klatkę, lecz po chwili zmieniła zdanie. – Lepiej, żeby nie oglądał Pieszczoszka w takim paskudnym humorze. Mogę na kilka minut zostawić mojego pupilka pod twoją opieką?

Amy chętnie się na to zgodziła. W pobliżu narożnego stolika było raczej pusto, więc miała doskonałą sposobność, żeby porozmawiać z yorkiem, nie zwracając niczyjej uwagi. Odczekała, aż Jane zniknie jej z oczu, i postukała w pręt klatki, żeby przyciągnąć uwagę Pieszczoszka.

– Spadaj – mruknął.

Hilton podskoczył i oparł przednie łapki o siedzisko krzesła.

— Zachowuj się, koleś — warknął. — Tak się nie mówi do mojej kumpeli.

— Twoje zachowanie też pozostawia wiele do życzenia — zaskrzeczała Hypatia.

Przefrunęła na klatkę i dziobnęła Hiltona w nos.

— Tak się nie mówi do gwiazdora. — Przechyliła główkę i zerknęła na Pieszczoszka. — Jesteś prawdziwym aktorem, mam rację?

York westchnął ciężko.

— Chyba tak, ale wolałbym nim nie być.

— Dlaczego? — zapytała Amy.

Pieszczoszek otworzył szeroko oczy.

— Rozumiesz naszą mowę?

28

– Oczywiście. – Sięgnęła ręką do wycięcia koszulki, odsłoniła naszyjnik z ogniwek w kształcie zwierzęcych łap i pokazała go pieskowi. – Jest zaczarowany. Dzięki niemu mogę się z wami porozumiewać.

York przysunął się bliżej i z uwagą spojrzał na złoty naszyjnik.

– Niesamowite – mruknął. – Grałem w wielu filmach, w których czarowało się na niby, ale nie widziałem nigdy prawdziwie magicznego artefaktu.

Hypatia wsunęła łebek między Pieszczoszka i Amy.

29

— Nie powiedziałeś mi, dlaczego nie chcesz być aktorem.

— Bo to strasznie nudne zajęcie — odparł Pieszczoszek. Otworzył pyszczek i ziewnął szeroko, pokazując maleńkie ząbki. — Muszę być czyściutki i nosić bladoróżową kokardkę, i zachowywać się ciągle jak grzeczny piesek. Nie wolno mi obwąchiwać drzew ani kopać dołków czy aportować patyków.

— Okropność — wtrącił Hilton. — Takie przyjemności sprawiają, że fajnie jest być psem.

— Poza tym moje imię jest nie do przyjęcia — wymamrotał york. — Który szanujący się psiak chciałby nazywać się Pieszczoszek?

— Jakie jest twoje ulubione imię? — zapytała Amy.

Pieszczoszek zamerdał ogonkiem.

— Kieł brzmi ładnie, ale podoba mi się także Bryś i Goliat.

Hilton parsknął śmiechem, ale umilkł natychmiast, gdy Amy rzuciła mu ostrzegawcze spojrzenie.

— Cicho! — syknęła. — Ranisz uczucia tego biedaka, a poza tym ludzie zaczynają się gapić.

— Przecież to imiona dobre dla psów obronnych, które muszą chodzić w kolczatkach — zauważył Hilton.

– Co ty powiesz? – odciął się Pieszczoszek.

– Ja też mogę nosić kolczatkę.

– Oczywiście malusieńką – wtrąciła Hypatia.

Przerwali rozmowę, bo wróciła Jane.

– Dzięki za przypilnowanie Pieszczoszka – powiedziała. Wzięła klatkę, zajrzała do środka i uśmiechnęła się do pieska, który spojrzał na nią spode łba.

– Do zobaczenia! – Jane zwróciła się do Amy, a potem ruszyła w stronę wyjścia z namiotu, niosąc klatkę z Pieszczoszkiem.

– Zniechęcił cię do grania w filmie? – Hilton zapytał Hypatię, gdy odprowadzali

spojrzeniem trenerkę odchodzącą z uwię-
zionym yorkiem.

— Ależ skąd! — oburzyła się papuga.
— To nadal moje największe marzenie.

Amy było przykro, że nie potrafi jej tego
ułatwić. Spojrzała jeszcze na kołyszącą się
lekko klatkę niesioną przez Jane i doznała
olśnienia.

— Wracamy do Pierwiosnka — zawołała.
— Muszę czegoś poszukać.

ROZDZIAŁ TRZECI

Strych herbaciarni Pierwiosnek był podzielony na dwie części. Po jednej stronie Amy miała swój pokoik, po drugiej znajdował się składzik zawalony rupieciami. Trzymano tam niepotrzebne rzeczy, których nikt nie miał serca wyrzucić.

Amy szybko dotarła do Pierwiosnka i od razu ruszyła na górę, a za nią Hypatia i Hilton. Pchnęła drzwi składziku i weszła do środka. Na strychu było ciemno i cuchnęło

stęchlizną, jak to zwykle bywa w pomieszczeniach, do których od dawna nikt nie zaglądał.

Amy wyciągnęła rękę i zapaliła światło.
Jedyna żarówka wisząca pod sufitem natychmiast rozbłysła i oświetliła pomieszczenie.
Niezliczone sprzęty, stłoczone jak drzewa
w dżungli, rzucały tajemnicze cienie i wyda-
wały się znacznie bardziej niepokojące niż
w świetle dziennym.

Spłoszona Hypatia na moment wstrzymała
oddech i pisnęła:

— Lepiej poczekam w korytarzu, żeby nie
robić sztucznego tłoku. Za dużo nas w tej
ciasnocie.

Hilton niespokojnie zerkał na boki.

– Długo tu zostaniemy?

– Nie – odparła Amy. – Wiem, czego szukam. Jestem pewna, że widziałam to w kącie, gdy przyszłam tu z tatą.

Przeskoczyła stertę pożółkłych gazet, przecisnęła się między kanapą i szafą, wreszcie podeszła do stołu, na którym pokrywały się kurzem bibeloty i stare wazony.

Amy zajrzała pod stół i wydała tryumfalny

okrzyk:

— Jest! — oznajmiła uradowana, wycią-

gając klatkę dla ptaków. — Teraz należy tylko

ukryć ją w okolicach portu. Na jutro będzie

jak znalazł.

***

Następnego ranka tuż po wschodzie słońca

Amy wyruszyła na plan filmowy. Hypatia

pofrunęła za nią, a w chwilę później z domu

wyszli mama, tata i Bunia, którzy musieli

przygotować śniadanie dla ekipy.

Przed namiotem przeznaczonym na sto-

łówkę Amy pożegnała się z nimi i ruszyła do

namiotu opatrzonego napisem „Garderoba".

Kiedy nabrała pewności, że rodzice za nią nie patrzą, skręciła w bok, ku ścieżce biegnącej za domem kultury. Klatka dla papugi była tam, gdzie została ukryta poprzedniego wieczoru. Amy wyciągnęła ją zza krzaka i otworzyła drzwiczki.

Hypatia podfrunęła bliżej i wsunęła głowę do środka.

– Muszę tam wejść od razu? – zapytała.
– Fatalnie się czuję w bardzo ciasnych pomieszczeniach.

– Możesz siedzieć na wierzchu, ale gdy przed naszym ujęciem zobaczysz z daleka, że po ciebie idę, wskakuj natychmiast, bo inaczej nie wystąpisz w filmie.

– Obiecuję – powiedziała uradowana Hypatia, czując rozkoszny dreszcz.

– To moja wielka szansa.

Nie zamierzam jej zmarnować.

Amy zostawiła Hypatię przy klatce i biegiem wróciła do garderoby, w której kręciło się już mnóstwo ludzi. Niektórzy mieli jeszcze na sobie zwykłe ubrania, inni wskoczyli już w kostiumy i wyglądali jak przybysze z dziewiętnastego wieku, których machina czasu przerzuciła dwa stulecia do przodu.

– Witaj, Amy – powiedział staromodnie odziany brodacz. – Pomagam asystentom reżysera ogarnąć dzieciaki. – Odhaczył jej nazwisko na swojej liście przypiętej do podkładki z klipsem i dodał: – Jesteś Dziewczynką Piątą. Idź tam i włóż kostium. Druga przebieralnia po prawej stronie.

Amy przyjrzała się żeglarzowi z brodą i wąsiskami. Rozpoznała w nim dyrektora szkoły.

– Pan Plimstone! Dziękuję bardzo – zawołała i pomknęła we wskazanym kierunku.

Dwadzieścia minut później Amy spojrzała w lustro i z trudem się rozpoznała.

Zamiast dżinsów i T-shirta miała na sobie sukienkę sięgającą nieco ponad kostki, a także
obszyte koronką pantalony. Ciemne włosy
zakrywał czepek z przyszytymi lokami, które
udawały fryzurkę z epoki.

Zamiast tenisówek nosiła sznurowa-
ne trzewiki. Magiczny naszyjnik schowała
bezpiecznie pod karczkiem sukni.

Amy odetchnęła z ulgą, gdy garderobiana nie dała jej nic do niesienia. Żadnych torebek ani pakunków. I bardzo dobrze. Musiała mieć wolne ręce, żeby urzeczywistnić swój plan.

Ledwie opuściła namiot, podeszła do niej Fran, żeby objaśnić, co jest do zrobienia.

– W kręconym teraz epizodzie trwa załadunek żaglowca, który jest przygotowywany do kolejnego rejsu. Stań przy tej stercie worków. Stamtąd ruszasz. Kiedy reżyser krzyknie: „Akcja!", pójdziesz spacerkiem ku dziobowi statku, rozglądając się na wszystkie strony.

Zatrzymasz się dopiero, kiedy usłyszysz, że reżyser woła: „Cięcie!". Wszystko jasne?

Amy kiwnęła głową.

– Chyba tak.

Stanęła przy stercie worków. Odczekała, aż Fran zajmie się innymi statystami, a wtedy pomknęła ścieżką, biegnącą na tyłach domu kultury.

Hypatia siedziała na klatce. Na widok pędzącej dziewczynki przechyliła głowę na bok i zapytała:

– To ty? Wyglądasz inaczej.

– Owszem, ja – syknęła zniecierpliwiona Amy. – Właź do klatki.

Hypatia natychmiast wypełniła polecenie. Amy zamknęła za nią drzwiczki i chwyciła klatkę. Zaniosła ją na plan filmowy. Kiedy tam wróciła, statyści i aktorzy stali już na swoich miejscach. Wszyscy byli gotowi do kolejnego ujęcia.

Amy błyskawicznie ustawiła się obok sterty worków, zasłaniając klatkę obszerną spódnicą, żeby operatorzy jej nie spostrzegli, nim zaczną kręcić kolejną scenę.

Na stos worków, przy którym stała, wskoczył nagle pręgowany, mocno przybrudzony kocurek. Z zachwytem przyglądał się sprzętowi filmowców.

– Cudne są te kamery – westchnął. – Spójrz na tamtą. Jest zamontowana na wysięgniku.

– Cześć, Isambard – powitała go Amy.

W tej samej chwili reżyser krzyknął: „Akcja!" i wszyscy ruszyli, jak było umówione.

Amy zgodnie ze wskazówkami Fran szła w stronę żaglowca. Spacerując, udawała,

że ciekawi ją portowa codzienność i unosi-
ła wysoko klatkę, żeby Hypatia znalazła się
w kadrze.

Papuga siedziała z dumnie uniesioną
głową, przeszczęśliwa, że ma wreszcie swoje
pięć minut. I bardzo dobrze, ponieważ jej
radość nie trwała długo.

ROZDZIAŁ CZWARTY

– Cięcie! – krzyknął reżyser. Wskazał ręką Amy i zapytał:

– Co taszczy ta dziewczynka?

Asystent o twarzy przypominającej mordkę łasicy poprawił baseballówkę, podbiegł do Amy i pochylił się nad klatką.

– Chyba papugę – zawołał.

– Papugę! – wrzasnął reżyser. – Nie zamawiałem żadnej papugi. Jedyne pta-szysko w moim filmie to „Czarny Kruk".

– Co za niesprawiedliwość! – skrzeczała Hypatia. – W czym ten kruk jest ode mnie lepszy?

Asystent nie zrozumiał jej skargi.

– Strasznie się wydziera, co? – powiedział do Amy. – Radzę natychmiast ją stąd zabrać.

Amy biegiem opuściła plan i umieściła klatkę za najbliższą kamerą, żeby Hypatia mogła przynajmniej obserwować, co się tam dzieje. Drzwiczki przezornie zostawiła uchylone, by papuga mogła wyjść, kiedy zechce.

Już miała wrócić na swoje miejsce, gdy chłopak w baseballówce spostrzegł burego Isambarda przycupniętego na stercie worków.

48

— Jego też przepędzić? — zapytał.

— W scenariuszu nie mamy żadnego kota.

Reżyser zwlekał z odpowiedzią. Podszedł do spiętrzonych worków i obszedł je, z różnych stron przyglądając się Isambardowi.

— Nie — uznał w końcu. — Może zostać. Doskonale komponuje się w kadrze.

— To niesprawiedliwe — narzekała Hypatia. — Dlaczego mnie odrzucili? Czego mi brak?

— Cicho! — skarciła ją Amy. — Zamknij dziób, bo nawet patrzeć ci nie pozwolą.

— Nie jestem pewna, czy mi na tym zależy — wymamrotała papuga. Odwróciła się tyłem do planu i wsunęła łebek pod skrzydło.

Amy zostawiła ją w spokoju i wróciła na swoje miejsce. W samą porę, bo reżyser krzyknął: „Akcja!" i zaczął się kolejny dubel.

Od tego momentu Amy starała się unikać kłopotów, bo zdawała sobie sprawę, że nie zdoła pomóc Hypatii, jeśli sama wyleci z obsady. Podczas drugiego ujęcia, idąc nabrzeżem ku statkowi, grała najlepiej, jak potrafiła.

Dopiero teraz mogła z bliska obejrzeć żaglowiec. Po raz pierwszy ujrzała napis „Czarny Kruk" wymalowany na burcie złotymi literami. Na jego widok musiała się uśmiechnąć. Hypatia zapewne poczuje się lepiej, gdy dowie się, że w filmie nie występuje żaden inny ptak.

Gdy pierwsze ujęcie zostało szczęśliwie nakręcone, Amy wraz z całą ekipą miała krótką przerwę.

– W kolejnej scenie nie będziesz potrzebna – uprzedziła Fran. – Robimy zbliżenia głównej bohaterki schodzącej na ląd.

Większość aktorów i statystów pospieszyła do stołówki, lecz Amy wolała sprawdzić, co z Hypatią.

Z ulgą stwierdziła, że papuga przestała się boczyć i siedzi obok Hiltona, obserwując krzątaninę filmowców. Całkiem się rozchmurzyła, gdy usłyszała o „Czarnym Kruku".

– Nadal jestem zdania, że popełniono wielką niesprawiedliwość, angażując Isambarda,

podcząs gdy ja zostałam odprawiona
z kwitkiem – mamrotała.

– Co ci nie pasuje? – zapytał Hilton.

– Moim zdaniem nasz koleżka wygląda
świetnie na tych workach.

– Nie w tym rzecz – odparła Hypatia.

– Moim zdaniem to niesprawiedliwe, że gra
w filmie, a ja nie.

Nagłe poruszenie wśród filmowców przyciągnęło ich uwagę. Na planie pojawiła
się gwiazda – sławna Dallas Renon. Amy
widziała ją wcześniej na ekranie, ale szybko uznała, że na żywo aktorka robi znacznie
większe wrażenie. Grała rolę hrabiny zako-

chanej w kapitanie żaglowca. Długa suknia i kapelusz ozdobiony kwiatami sprawiały, że wyglądała zjawiskowo.

— Do twarzy ci w tym kostiumie — zachwycał się reżyser. — Jesteś prześliczna. Treserka szczotkuje właśnie twego pupilka. — Klasnął w ręce i zawołał: — Dawać tu psiaka.

— Mnie wołają? — spytał Hilton.

— Oby nie! — wtrąciła Hypatia. — Tego bym nie ścierpiała.

— Nie chodzi o ciebie, tylko o Pieszczoszka — wyjaśniła Amy Hiltonowi.

Ujrzeli Jane z firmy „Zwierzęta na plan", niosącą klatkę, w której siedział york.

Postawiła ją na krześle i wyjęła swego pu-pilka. Długa, jedwabista sierść była gładka i lśniąca, a różowa kokardka tkwiła na samym czubku głowy, biedaczek wydawał się jednak równie posępny jak poprzedniego dnia. Oczka miał smutne, ogon podkulony.

Jane odczekała, aż Dallas zastygnie przed kamerą w odpowiedniej pozie, i dopiero wtedy umieściła Pieszczoszka w jej objęciach, poprawiła kokardkę i ułożyła starannie długie kosmyki sierści.

Reżyser zwlekał, aż treserka odejdzie na bok, i dopiero wtedy zawołał:

– Akcja!

W Pieszczoszka jakby coś wstąpiło. Nagle

zacisnął drobne ząbki na dłoni aktorki, która

wrzeszcząc wniebogłosy, rzuciła go na bruk.

Jane próbowała schwytać buntownika, ale

poruszała się zbyt wolno. Pieszczoszek zwi-

nął się, stanął na czterech łapkach i za-

czął uciekać, klucząc między nogami ludzi

z ekipy i przeskakując kable, skręcone niczym

kłębowisko węży.

Jane chciała pędzić za nim, ale reżyser ją

zatrzymał.

— Co to ma znaczyć? — wrzeszczał. — Powie-

dziano mi, że ten pies jest wytresowany.

— Ja również tak sądziłam — odparła

zrozpaczona Jane. — Strasznie mi przykro. Taka

wpadka zdarzyła mu się po raz pierwszy.

— Nie będzie miał sposobności, żeby ją powtórzyć — odparł dyrektor. — Zwalniam go. Weźmiemy innego psa. Jane spojrzała na niego z przerażeniem.

— Nie mam dublera.

— To go znajdź — polecił reżyser. — Rozejrzał się i wskazał Hiltona. — Ten się nadaje.

— Nie! Nie! Nie! — piszczała Hypatia, podskakując na klatce. — To krzycząca niesprawiedliwość!

Ku jej szczeremu zachwytowi Dallas z miejsca skreśliła Hiltona.

— Żadnych psów — oświadczyła, wygrażając reżyserowi. — Mowy nie ma, żebym wzięła na ręce jakiegoś kundla. Proszę zobaczyć, jak mnie urządził tamten potworek. Gdybym nie nosiła rękawiczek, ugryzłby mnie do krwi.

— Wiem, skarbie — przytakiwał reżyser pojednawczym tonem. — Problem w tym, że musisz trzymać w objęciach pupilka. Tak jest napisane w scenariuszu.

Dallas splotła ramiona na piersi i obrzuciła go stanowczym spojrzeniem.

– Dobra – ustąpiła. – Ale pies nie wchodzi w rachubę. Znajdź mi innego zwierzaka.

Hypatia krzyknęła z radości.

– To moja wielka szansa – zaskrzeczała. – Zagram jej ukochaną papużkę.

Nim Amy zdążyła zareagować, Hypatia rozłożyła skrzydła, uniosła się w powietrze i sfrunęła prosto w otwarte ramiona wielkiej gwiazdy.

ROZDZIAŁ PIĄTY

Gwiazda filmowa najwyraźniej nie miała wcześniej do czynienia z papugą w roli ulubienicy. Oganiała się przed nią rękami, targając bajecznie kolorowe piórka. Objawy serdeczności uznała za atak oszalałego ptaszyska.

Amy z krzykiem podbiegła do niej.

– Jest niegroźna. Chce się zaprzyjaźnić. Nic pani nie zrobi.

– Ach tak! Wolałabym jej nie oglądać, kiedy jest wściekła – burknęła Dallas.

Wyrwała scenariusz swojej asystentce i próbowała trzepnąć nim papugę.

Na szczęście chybiła, ale Hypatia zrozumiała, w czym rzecz.

— Trochę grzeczniej, bardzo proszę — zaskrzeczała, odlatując w stronę klatki. Usiadła na niej i dodała: — Próbowałam tylko pomóc.

Reżyser odprowadził ją spojrzeniem, a potem zwrócił się do swojej gwiazdy.

– Rozumiem, że psy nie wchodzą w grę, ptaków też nie lubisz. Jakiego zwierzaka mogłabyś wziąć na ręce?

Dallas wydęła usta i po chwili namysłu oznajmiła:

– Lubię koty.

Jane pokręciła głową.

– Nie przywiozłam ze sobą żadnego kocurka. Prosiliście tylko o pieska.

– Nie masz wyjścia – burknął reżyser.

– Podobno jesteś treserką. Znajdź kota i naucz go wszystkiego.

– Ten się nada? – zapytała Jane, wskazując Isambarda.

– Mowy nie ma – oburzył się reżyser. – Wystąpił w poprzednim ujęciu, więc nie może się pojawić drugi raz. – Wyrwał scenariusz z rąk Dallas i pomachał nim Jane przed nosem. – Dla przebiegu akcji to niezwykle ważne, że główna bohaterka przybywa ze swoim pupilkiem. Nakręcimy tę scenę po południu. Masz być na planie z wytresowanym kotem. W przeciwnym razie definitywnie zakończymy współpracę. To będzie koniec twojej kariery w filmowym biznesie. Nigdy więcej nie skorzystam z usług firmy „Zwierzęta na plan".

Odwrócił się i zaczął omawiać z Dallas szczegóły innej sceny. Gdy odeszli, Jane opadła na krzesło i ukryła twarz w dłoniach.

– Nie dam rady – jęknęła. – To przecież niewykonalne.

– Mogę jakoś pomóc? – spytała zatroskana Amy.

Jane podniosła głowę i uśmiechnęła się niechętnie.

— Potrafisz sprawić cud? Nie mam pojęcia, skąd wziąć innego kota. Poza tym muszę odnaleźć Pieszczoszka. — Słaby uśmiech zniknął z jej twarzy, a oczy wypełniły się łzami. — Strach mnie ogarnia, gdy pomyślę, że błąka się gdzieś samiuteńki.

— Sądzę, że wielu statystów chętnie przyłączy się do poszukiwań — odparła Amy. — Na naszej wyspie jest sporo kotów, a ja dobrze je znam. Mogę popytać, czy któryś z nich zechce wystąpić w filmie.

Jane roześmiała się mimo woli.

— Zabawnie to ujęłaś. Można by pomyśleć, że tutejsze koty rozumują jak ludzie.

Amy także parsknęła wymuszonym śmiechem, ale słowa Jane bardzo ją zaniepokoiły. Chciała pomóc treserce, ale musiała działać ostrożnie. Tajemnica naszyjnika nie mogła wyjść na jaw.

* * *

Amy słusznie zakładała, że statyści przyłączą się do poszukiwań, żeby w przerwie między ujęciami mieć jakieś zajęcie.

W przeciwnym razie siedzieliby bezczynnie. Gdy kamery przestały pracować, zajrzeli w każdy najciaśniejszy zakątek portu, i to po kilka razy. Na próżno. Pieszczoszek przepadł bez śladu.

— Oby tylko nic mu się nie stało! — Jane raz po raz wybuchała płaczem. — Strasznie za nim tęsknię. Nie darowałabym sobie, gdyby spotkało go jakieś nieszczęście.

— Ja też — wyznała Amy. — Strasznie mi przykro, ale muszę iść. Tylko w czasie przerwy obiadowej mam trochę czasu, żeby znaleźć dla pani kotka.

Jane otarła chusteczką załzawione oczy i wręczyła Amy formularz.

— Pamiętaj o zgodzie właściciela. Musi wypełnić rubryczki i złożyć czytelny podpis. Firma „Zwierzęta na plan" przygotowuje do udziału w filmie wyłącznie te stworzenia, które opiekunowie oficjalnie nam powierzają.

Amy zwinęła formularz i schowała w rękawie, a potem z Hypatią i Hiltonem ruszyła w stronę uliczki prowadzącej do herbaciarni Pierwiosnek. Po kilku krokach zastąpił jej drogę ochroniarz w czarnym garniturze.

– Nie możesz opuścić planu w kostiumie, młoda – oznajmił. – Zniszczysz go i co wtedy?

— Muszę wpaść do domu — tłumaczyła Amy.

— Kogoś nam tu brakuje. Trzeba go przyprowadzić. Zaraz wrócę.

— Nie ma zmiłuj! — mruknął ochroniarz.

— Zasady to zasady. W regulaminie jest napisane, że nie wolno w kostiumie zejść z planu filmowego. Gdybym cię wypuścił w tym stroju, straciłbym pracę i nikt by mnie już nie wziął do tej roboty.

— Trudno — odparła z westchnieniem Amy.

Odwróciła się i poszła do garderoby. Hilton i Hypatia nie zamierzali iść za nią.

— Ruszamy przodem, żeby zwołać zebranie. Nie ma czasu. Musimy działać szybko.

71

– Doskonale – ucieszyła się Amy.

Była jedyną ludzką istotą w paczce czuwającej nad bezpieczeństwem wyspy Clamerkin. Hilton i Hypatia również do niej należeli. Oprócz tej trójki były jeszcze cztery koty. Amy miała nadzieję, że jeden z nich zechce pomóc Jane.

Garderoba świeciła pustkami. Wkrótce Amy zrozumiała dlaczego.

– Wstęp wzbroniony – oznajmiła surowa garderobiana, odpędzając dziewczynkę. – Kostium trzeba nosić przez cały dzień zdjęciowy.

– Sytuacja jest wyjątkowa – odparła Amy. – Muszę wpaść do domu i kogoś tu przyprowadzić.

Niestety, jej argumenty nie trafiły do przekonania garderobianej, która była równie nieustępliwa jak ochroniarz.

Z poczucia bezradności Amy miała ochotę krzyczeć. Według jednej zasady, póki była w kostiumie, nie mogła opuścić planu, według drugiej, nie wolno jej było zdjąć staromodnej sukienki. Aby pomóc Jane i znaleźć kota chętnego do zagrania w filmie, musiała złamać jedną z zasad. Ale którą?

Odczekała moment, aż garderobiana wróci do swego kantorka, by zjeść kanapkę, i wślizgnęła się ukradkiem do namiotu. Odnalazła swoje rzeczy, wiszące na kołku

opatrzonym karteczką z napisem: „Dziewczynka Piąta", zdjęła je, a potem co sił
w nogach pomknęła do najbliższej przebieral-
ni. Błyskawicznie zmieniła ubranie i przez ni-
kogo niezauważona wymknęła się z namiotu.

Tym razem ochroniarz
w ogóle na nią nie spojrzał.
Minęła go i pognała do domu.
Przerwa obiadowa trwała za-
ledwie godzinę, więc nie było
czasu do stracenia.

ROZDZIAŁ SZÓSTY

„Prawie tajemna kryjówka" paczki z Clamerkin znajdowała się w kępie krzaków rosnących przy płocie ogrodu Amy. Trzy koty były już na miejscu. Bazia, syjamska koteczka z poczty, siedziała na trawie i starannie myła ogon. Obok niej przycupnął Einstein, biały pers ze szkoły, a po drugiej stronie leżał Bochenek, czarny grubasek w białych skarpetkach, mieszkaniec piekarni.

– Gdzie Isambard? – zapytała Amy.

— Powiedział, że przyjdzie — odparł Hilton.

— Obiecane, dotrzymane — wysapał zdyszany Isambard. — Przepraszam za spóźnienie. Reżyser postanowił nakręcić kilka moich zbliżeń.

Bazia obrzuciła go karcącym spojrzeniem.

— Wszyscy mają bzika na punkcie tego filmu. Na poczcie ludzie o niczym innym nie mówią.

— Nasze zebranie też go dotyczy. — Amy opowiedziała o Pieszczoszku i zdecydowanej odmowie Dallas, która zapowiedziała, że nie weźmie na ręce żadnego innego psa.

– Zażyczyła sobie kota. Pomyślałam, że jedno z was mogłoby z nią zagrać.

Isambard pokręcił głową.

– Na mnie nie licz. Już się załapałem. – Zamilkł i uniósł głowę, a potem dodał zarozumiale:

– Gram portowego dachowca, który przysiadł na stosie worków.

– Przestań się tak puszyć – skarciła go Hypatia. – Niektórzy daliby się pokroić za możliwość wystąpienia w filmie. Niech mi utną rękę, bylebym tylko…

– Nie masz rąk, masz skrzydła – wtrącił rzeczowo Hilton.

– Odbiegamy od tematu – przerwała Amy.

– Jane, treserka zwierzęcych aktorów, dziś po południu musi przedstawić reżyserowi puchatego mrusia, którego będzie trzymać w objęciach Dallas Renon. Są ochotnicy?

– Ja! – rozległ się zgodny miauk Bazi, Einsteina i Bochenka.

– Wszystkich naraz nie zaangażują, bo Dallas może przytulić tylko jedno stworzenie – mitygował kumpli Hilton.

– To rola dla mnie. Będę świetna – przekonywała Bazia. – Syjamskie koty zawsze były wyróżniane. Moi przodkowie żyli na królewskim dworze.

– Nie masz puchatego futerka – wpadł jej w słowo Einstein. – Pupilek kanapowiec musi przypominać mufkę... tak jak ja.

Bochenek spojrzał na Amy wielkimi, smutnymi oczami.

– Mało prawdopodobne, żebym został wybrany. Brak mi klasy i puszystego futerka. Grubas ze mnie i tyle.

– Ale dzięki tłuszczykowi milusi z ciebie pieszczoszek.

– Ktoś mnie wołał? – Z zarośli dobiegł jakiś głos. Liście zaszeleściły i zadrżały, a potem na polanę wytoczyła się kula brązowobrunatnej sierści.

Zdumiona Amy uskoczyła w tył.

– Pieszczoszek! – zawołała.

– To naprawdę ty?

Przybysz bardzo się róż-
nił od ulubieńca Jane, który

uciekł dziś rano. Różowa kokardka zniknęła. Długa, jedwabista sierść była potargana,
a łapki zabłocone. Najważniejsza zmiana
polegała na tym, że Pieszczoszek wydawał się
przeszczęśliwy.

Otworzył szeroko pyszczek, jakby w psim
uśmiechu, i radośnie merdał ogonkiem.

– Tak, to ja. Moje nowe wcielenie. Psiak
obwąchujący drzewa i utytłany w błocie…

— Który gryzie niewinnych ludzi — wpadł mu w słowo oburzony Hilton.

— Jeden jedyny raz — bronił się Pieszczoszek. — Musiałem jakoś im uciec. Mowy nie ma, aby mi to weszło w zwyczaj. — Rozpromienił się znowu i zapytał: — Co tu robicie?

— Zastanawiamy się, kto przejmie twoją rolę — wyjaśniła Hypatia. — Dallas nie chce grać ani z psem, ani z papugą. Zażyczyła sobie kota.

– Wszyscy mamy ochotę zagrać jej pupilka.

– Z wyjątkiem mnie – zamruczał Isambard.

– Musimy się pospieszyć – wtrąciła Amy. – Trzeba natychmiast podjąć decyzję, kto z was wystąpi w filmie, bo inaczej Jane nie zdąży z przygotowaniami.

Bazia spojrzała na nią nieufnie.

– Na czym one polegają?

– Ja odpowiem! Ja odpowiem! – zawołał Pieszczoszek, podskakując z radości. – Trzeba wziąć kąpiel…

— Kąpiel! — prychnęła Bazia. Tak się przeraziła, że jej ogon wystrzelił w górę i sterczał pionowo, a z powodu nastroszonej sierści przypominał szczotkę do mycia butelek. — Jeśli mam się kąpać, rezygnuję z gry w filmie.

— I ja też — miauknął Einstein. Sztuczka z ogonem marnie mu wychodziła, więc nie próbował w ten sposób wyrazić swego oburzenia. Przypadł tylko do ziemi i wolniutko cofał się pod krzaki. — Nie zażywam kąpieli, bo są MOKRE.

— Straszliwie mokre — wtórował mu Bochenek. — Kąpiel to prawdziwa katastrofa. Istne nieszczęście. Nie znam gorszego. Na samą myśl o kąpieli robię się głodny.

– Nic dziwnego – mruknął Isambard.
– Myślenie zawsze tak na ciebie działa.

Amy straciła nadzieję. Zapał kotów do grania w filmie ulotnił się w jednej chwili, a wraz z nim zniknęła szansa udzielenia pomocy Jane.

– Czy kariera gwiazdy filmowej ma jakieś plusy? – zapytała Amy Pieszczoszka.

York zmarszczył nosek, zastanawiając się nad odpowiedzią.

– Wątpię. Czekanie dłuży się w nieskończoność. Wciąż cię czeszą, pielęgnują sierść…

– Serdeczne dzięki. Sama potrafię zadbać o futerko – prychnęła Bazia, unosząc dumnie łebek i myjąc łapkę.

Pieszczoszek puścił jej uwagę mimo uszu i opowiadał dalej.

— Miłym urozmaiceniem bywają smakołyki. Jane daje mi je, kiedy grzecznie wykonuję polecenia.

Bochenek nadstawił uszu.

— Jakie smakołyki?

— Psie ciasteczka, fajne gryzaki — odparł york. — Czasami dostaję kawałeczki żółtego sera. Uwielbiam ser.

– A ja sardynki – rozmarzył się Bochenek.

– Twoja pani cię nimi częstuje?

Pieszczoszek pokręcił głową.

– Nic by jej z tego nie przyszło. Mam wstręt do ryb.

– Sądzę, że dla ciebie na pewno znalazłaby puszkę sardynek – powiedziała Amy do Bochenka. – Mogę wspomnieć, że to twój przysmak.

– W takim razie chętnie zagram w filmie. – Bochenek wstał i podszedł do Amy. – Za sardynki jestem gotowy na wszystko.

– Nawet na kąpiel – mruknęła Bazia.

– I to MOKRĄ – dodał Einstein.

Bochenek wzdrygnął się, ale zaraz pomyślał o sardynkach i nabrał animuszu.

— Zniosę wszystko — obiecał i skoczył w objęcia Amy.

ROZDZIAŁ SIÓDMY

Amy odczekała, aż Bochenek ułoży się wygodnie na jej prawej ręce, z łebkiem przytulonym do ramienia. Wolną dłonią poklepała się po udzie i zawołała:

— Pieszczoszek, idziemy. Pora wrócić do domu.

— Nie! — szczeknął york. Cofnął się i umknął pod krzaki. — Ja tu zostaję.

— Proszę, chodź ze mną — powiedziała błagalnie Amy.

– Nie! – szczeknął Pieszczoszek jeszcze bardziej zdecydowanie. – Mam dosyć ludzi, którzy mnie rozpieszczają.

– A ja to lubię – wtrącił Bochenek. – Rozpieszczanie oznacza dużo pysznego jedzonka.

Bazia podeszła do krzaka i zerknęła pod gałęzie.

– Mam nadzieję, że dzisiaj nie będzie padało. Na deszczu się moknie.

– Brak dachu nad głową to duża przykrość – dodał Isambard. – Cudne są te dachy. Kiedy mamy własnego człowieka, zawsze jest gdzie się schronić.

– Śpi się w ciepełku – dodał marzycielsko Einstein. – Późną nocą pod tym krzakiem będziesz dygotał z zimna. Zostaniesz samiuteńki, bo my pójdziemy, każde do swego domu.

Pieszczoszek wypełzł spod gałęzi. Nie był już taki zadufany w sobie jak przedtem.

– Próbujecie mnie nastraszyć, żebym zmienił zdanie – wymamrotał. – Wykluczone. Nie wrócę. Za nic w świecie!

91

— Nawet jeśli Jane bardzo się ucieszy na twój widok? – zapytała Amy.

Pieszczoszek westchnął ciężko i zwiesił główkę.

— Lepiej jej będzie beze mnie. Wątpię, żeby chciała mnie przyjąć z powrotem. Okropnie nabroiłem.

Amy postawiła Bochenka na ziemi, żeby mieć wolne ręce. Objęła yorka i zamknęła go w mocnym uścisku.

— Ma się rozumieć, że czeka na ciebie i chce, żebyś wrócił. Kiedy się ostatnio spotkałyśmy, płakała z tęsknoty za tobą.

— Naprawdę? – dopytywał się Pieszczoszek.

– Oczywiście – potwierdził Hilton. – Sam widziałem.

Rozpromieniony Pieszczoszek zamerdał ogonkiem.

– W takim razie czemu zwlekamy? Czas wracać.

* * *

Amy szła ulicą brukowaną kocimi łbami z Bochenkiem mruczącym radośnie w jej objęciach. Z jednej strony miała truchtającego Pieszczoszka, z drugiej Hiltona. Papuga Hypatia frunęła przodem, bo ogromnie była ciekawa, co się dzieje na planie filmowym.

Gdy mijali piekarnię, Amy przypomniała sobie o formularzu, który miała w kieszeni. Skoro Bochenek ma wystąpić w filmie, jego człowiek musi wyrazić na to zgodę.

Piekarz był tłuścioszkiem, tak samo jak jego kot. Miał twarz okrągłą jak księżyc w pełni, wydatny brzuszek i okularki jak dwa krążki. Na widok Amy niosącej Bochenka, buźka mu się rozpromieniła. Potem spostrzegł Pieszczoszka i zrobił wielkie oczy.

– Uwaga! – krzyknął, zdecydowanym gestem odsunął Amy, zza lady chwycił miotłę i ujął ją niczym dzidę bojową. Zrobił krok w przód, jakby szykował się do ataku.

— Wredne szczury nie mają wstępu do mojej piekarni.

Hilton warknął ostrzegawczo i skoczył między napastnika i jego niewinną ofiarę. Amy wolną ręką chwyciła miotłę i zawołała:

— To nie szczur, tylko piesek!

Piekarz cofnął się i odstawił miotłę. Zdjął okulary i przetarł je fartuchem. Strasznie były pomazane, bo dotykał ich paluchami obsypanymi mąką. Wsunął je na nos i popatrzył na Pieszczoszka.

– Rzeczywiście – przyznał. – Dziwny jakiś. Taki mały i zabłocony.

– Należy do pani z ekipy filmowej – tłumaczyła Amy. Opowiedziała o wybryku Pieszczoszka i kłopotach z odtwórcą roli ulubieńca głównej bohaterki.

– Czy zgadza się pan, żeby zaangażowali Bochenka?

– Naturalnie – oznajmił piekarz.

Uśmiechnął się szeroko i podrapał kotka za uchem.

– Miło, że mój kochany Bocheneczek zostanie gwiazdą. Muszę koniecznie mieć ten film na płytce.

Gdy podpisywał formularz, Amy zerknęła na zegar ścienny. Było później, niż sądziła. Musieli się pospieszyć, bo przerwa obiadowa dobiegała końca.

Amy biegiem pokonała całą drogę z piekarni do portu. Pędząc uliczką położoną na łagodnym zboczu, trzymała w objęciach Bochenka i ściskała w dłoni pisemną zgodę piekarza. Za nią gnali Hilton i Pieszczoszek, który ze wszystkich sił starał się dotrzymać kroku pozostałym. Łapki miał krótsze niż Hilton i zwykle był noszony, więc nie imponował kondycją fizyczną.

— Daleko jeszcze? — sapał, gdy dotarli na skraj nabrzeża. Ledwie wpadli na plan filmowy, wyszła im naprzeciw Jane. Pieszczoszek od razu się ożywił na jej widok i poczuł przypływ nowych sił.

— Wróciłem! — szczeknął i skoczył ku niej.

— Pieszczoszek! — Podniosła go i mocno przytuliła.

— Jesteś wstrętną psiną, ale i tak cię kocham.

— Ja ciebie też — ujadał Pieszczoszek. Z radości polizał jej nos.

Jane zachichotała, a potem odsunęła pupilka na długość ramion i przyjrzała mu się z uwagą. — Aleś się ubłocił!

— Za to jest szczęśliwy — powiedziała Amy. — Myślę, że uwielbia żyć jak zwykły pies.

— Też tak sądzę — odparła Jane. — Powinnam częściej pozwalać mu na takie buszowanie po okolicy. – Spojrzała na Amy. – Nie wiem, jak ci dziękować, że go odnalazłaś. – Nagle spostrzegła Bochenka w jej ramionach i pisnęła z radości. – Jest i koteczek.

Amy kiwnęła głową, a potem wręczyła jej podpisany formularz.

– Ma na imię Bochenek i mieszka w piekarni.

Jane wsunęła Pieszczoszka pod ramię, a wolną ręką objęła Amy i uścisnęła ją serdecznie.

– Naprawdę sprawiłaś cud, kochanie. Za jednym zamachem rozwiązałaś wszystkie moje problemy. – Wyciągnęła rękę i pogłaskała grubaska. – Na widok tego koteczka ucieszyłam się, jak nigdy w życiu. Jest dość niechlujny, ale zaraz go wykąpię.

Amy poczuła, że Bochenek napina mięśnie, jakby szykował się do ucieczki.

– Powiedz jej o sardynkach – miauknął. – Nie dam się zmoczyć, jeśli nie dostanę mego smakołyku.

Amy mrugnęła do niego i spojrzała na Jane.

– Jestem pewna, że Bochenek będzie grzeczny jak aniołek – powiedziała. – Za sardynki zniesie wszystko.

– Dostanie ich tyle, ile będzie w stanie zjeść – odparła z radością Jane. – Wyjęła z kieszeni obróżkę ze smyczą, założyła ją Pieszczoszkowi i postawiła go na ziemi, a potem ostrożnie wzięła na ręce Bochenka.

– Chodź, mój skarbie – powiedziała.
– Nim zrobię cię na bóstwo, staniesz się jeszcze okrąglejszy, tłuścioszku.

Amy usłyszała radosny pomruk, głośniejszy niż kiedykolwiek przedtem. Bochenek wtulił się ufnie w tunikę Jane.

– Cała przyjemność po mojej stronie – miauknął.

Amy przyglądała mu się z jawnym zadowoleniem. Wszystko ułożyło się znakomicie. Statystowanie było pyszną zabawą, Pieszczoszek bezpiecznie wrócił do swojej pani, a Dallas Renon mogła wreszcie zagrać scenę ze swym filmowym ulubieńcem.

Nagle Amy spostrzegła Hypatię, siedzącą na klatce i ogarnęło ją poczucie winy. Do rozwiązania pozostał jeszcze jeden problem, lecz na razie nic nie wskazywało na to, że spełni się marzenie papugi o filmowej karierze.

ROZDZIAŁ ÓSMY

Nagle podbiegła do niej Fran, rozgorączkowana i bardzo zaaferowana.

– Nareszcie! – krzyknęła z westchnieniem ulgi. – Szukam cię wszędzie, Amy. – Postukała długopisem w dużą podkładkę z klipsem i marszcząc brwi, spojrzała na dżinsy Piątej Dziewczynki. – Co ty masz na sobie? Statyści muszą przez cały dzień zdjęciowy chodzić w kostiumach.

— Wiem — tłumaczyła Amy — ale musiałam wrócić po coś do domu. Ochroniarz nie chciał mnie puścić, bo miałam na sobie tę suknię.

— Znalazła nam kotka — oznajmiła Jane, podnosząc wysoko Bochenka, żeby Fran mogła go sobie obejrzeć. Sroga twarz producentki natychmiast się rozchmurzyła.

— To zmienia postać rzeczy. — Fran uśmiechnęła się do Amy i dodała: — Przebierz się natychmiast. Grasz w następnej scenie.

Amy ucieszyła się, gdy Fran odprowadziła ją do garderoby, żeby wyjaśnić, co się stało. Nadąsana garderobiana cmoknęła z niezadowoleniem, bo zorientowała się, że Amy postąpiła wbrew regulaminowi, ale szybko dała się udobruchać i pomogła jej włożyć długą sukienkę, czepek i trzewiki. Sprawdziła też osobiście, czy statystka wygląda tak samo, jak w poprzednim ujęciu.

Gdy Amy była gotowa, natychmiast pobiegła na plan.

– Co u Bochenka? – zapytał Isambard, kiedy mijała stos worków.

– Nie mam pojęcia – odparła szeptem. Rozejrzała się, szukając Jane w tłumie ludzi stojących za kamerami, ale jej nie dostrzegła.

Reżyser krzyknął: „Akcja!", więc musiała zapomnieć o kotku i skupić się na swoich

zadaniach. Tym razem miała udawać, że rozmawia, nie wydając żadnego dźwięku.

Z trudem powstrzymywała się od śmiechu, plotkując bezgłośnie z Weroniką. Unikała wzroku przyjaciółki, bo gdyby spojrzała jej w oczy, przestałaby nad sobą panować.

Podczas krótkich przerw między ujęciami kręciła się wśród namiotów w nadziei, że spotka Jane. Daremnie. Trenerka przepadła jak kamień w wodę. Amy zaczynała się niepokoić. Miała złe przeczucie. Czyżby Bochenek wbrew obietnicom wymigał się od kąpieli i zwiał?

W końcu Fran oznajmiła statystom, że mają dłuższą przerwę, bo reżyser będzie kręcił scenę, która rano została przerwana z powodu wybryków Pieszczoszka.

Gdy Dallas Renon wróciła na plan, Amy utorowała sobie drogę w tłumie gapiów. Stanęła za operatorem kamery, wypatrując czarnego kota w białych skarpetkach, który miał teraz swoje pięć minut. Targały nią sprzeczne uczucia, bo nie wiedziała, czego się spodziewać. Jak dotąd ani śladu Bochenka.

– Gdzie kot? – zapytała Dallas.

– Gdzie kot? – wrzasnął reżyser.

Gapie powtarzali to pytanie. Wreszcie pojawiła się Jane.

Na aksamitnej poduszce niosła Bochenka.

Amy w pierwszej chwili
go nie poznała. Dachowiec
z piekarni zmienił się w ka-
napowego pupilka. Został
wykąpany i wyszczotkowany.
Skarpetki miał śnieżnobiałe. Lśniące futerko
było niemal tak puchate jak u Einsteina.

Kiedy Jane przechodziła obok Amy,
zaleciało od niego sardynkami. Nic dziwnego, że wydawał się idealnie szczęśliwy.

– Jest boski – zachwycała się Dallas, gdy
wzięła Bochenka na ręce. Nagle zmarszczyła
nos. – Odrobinę cuchnie rybą.

– Bez obaw. Zaraz coś na to poradzimy – odparła Jane. Sięgnęła do kieszeni po flakonik perfum i spryskała nimi Bochenka, który szeroko otworzył oczy ze zdumienia, ale nawet nie drgnął.

Dallas obwąchała go, z zadowoleniem kiwnęła głową i zabrała się do pracy nad

przerwanym ujęciem. Bochenek partnerował jej po mistrzowsku. Brzuszek miał wypełniony sardynkami, więc spokojnie leżakował w objęciach gwiazdy, nie zważając na to, co się wokół niego dzieje.

– Cięcie! – zawołał reżyser, gdy Dallas wypowiedziała ostatnią kwestię, a potem zwrócił się do Jane. – Ten kotek to urodzony aktor. Dobra robota. Odkryłaś prawdziwy talent.

– To nie ja – odparła Jane. Chwyciła Amy za rękę i wyciągnęła ją z tłumu gapiów. – Amy go wypatrzyła.

Reżyser uśmiechnął się promiennie.

– Dzięki, młoda damo. Jesteśmy twoimi dłużnikami. Mam nadzieję, że dobrze się bawisz na planie.

Amy kiwnęła głową.

– Jest super – przyznała, trochę zawstydzona. Po chwili zebrała się na odwagę, odchrząknęła i dodała uprzejmie: – Byłoby jeszcze lepiej, gdyby spełnił pan jedną moją prośbę.

Zaskoczony reżyser cofnął się o krok.

– O co chodzi? Niczego nie obiecuję, ale powiedz, w czym rzecz. Chcesz dostać większą rolę? Pewnie mówioną, choćby parę słów.

– Nie – zaprzeczyła Amy i wskazała Hypatię przycupniętą na klatce. – To moja papuga. Marzy... a raczej mnie się marzy, żeby zagrała w filmie.

Reżyser pokręcił głową.

– Daruj, ale to niemożliwe. „Czarny Kruk" nie jest pirackim żaglowcem, a tylko piraci mają papugi.

Amy nie dała się zbyć, bo czuła, że potrafi postawić na swoim.

Obdarzyła reżysera najpiękniejszym uśmiechem i powiedziała:

— Jestem pewna, że zwykli marynarze też hodowali papugi, bo inaczej piraci zanadto by się wyróżniali i natychmiast zostaliby namierzeni.

— Bardzo ciekawa myśl — powiedział reżyser, w zadumie gładząc podbródek. — Ale skąd pewność, że tak było w istocie?

— Owszem. Ja to wiem — odezwała się Jane. — Mój prapradziadek był kapitanem żaglowca takiego jak „Czarny Kruk". Na sto procent nie trudnił się piractwem, a mam jego zdjęcie z papugą na ramieniu.

– Bardzo ciekawe – powtórzył zamyślony reżyser, nadal pocierając podbródek. – Z tego wniosek, że na naszym statku jednak powinna być papuga. To by dodało filmowi realizmu.

Amy zdała sobie sprawę, że musi działać szybko i zdecydowanie.

– Hypatia jest idealna do tej roli – zapewniła z naciskiem. – Na wielkim ekranie wyglądałaby świetnie, bo upierzenie ma bajecznie kolorowe.

Reżyser kiwnął głową.

– To jest myśl! Masz rację. – Uśmiechnął się do Amy. – Angażuję do filmu twoją papugę.

Hypatia oszalała z radości, gdy Amy oznajmiła jej tę nowinę.

– Będę gwiazdą – skrzeczała bardzo uszczęśliwiona, wymachując skrzydłami.

– Ale musisz zachowywać się, jak należy – upomniała ją Amy.

– Obiecuję – zapewniła papuga.

Do końca tygodnia siedziała grzecznie na ramieniu statystującego pana Plimstone'a, grając rolę ulubienicy żeglarza. Ani razu nie szczypnęła go w ucho. Powstrzymywała się też od marynarskich okrzyków. A do kamery puszczała oko tylko wtedy, gdy nikt tego nie widział.

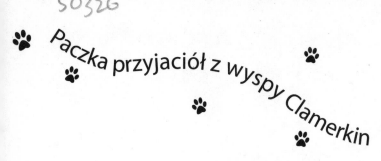

Paczka przyjaciół z wyspy Clamerkin

Hilton

Amy

Einstein